〔瑞典〕阿妮卡·托雷/著　〔瑞典〕玛利亚·尼尔松·托雷/绘　赵　清/译

0-3岁幼儿生活情景游戏绘本
和我一起玩

睡觉吧！

长江出版传媒　长江少年儿童出版社

米米要睡觉了。

晚安，米米。

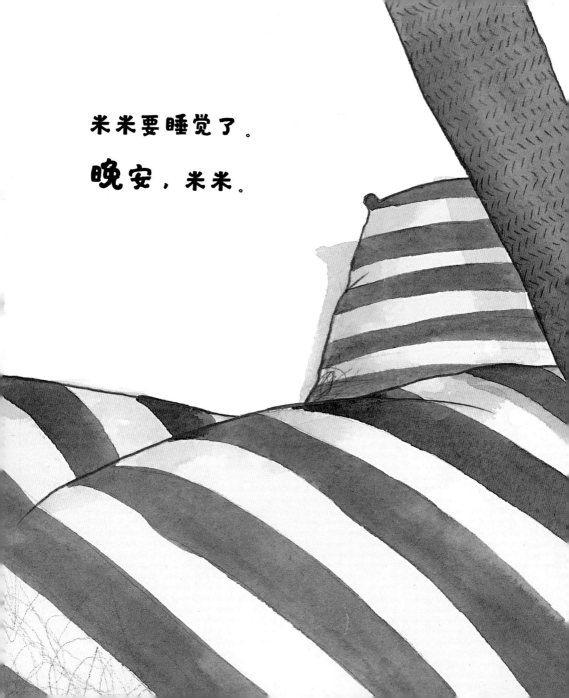

做个好梦……

先看个故事就睡……

睡吧，做个好梦⋯⋯

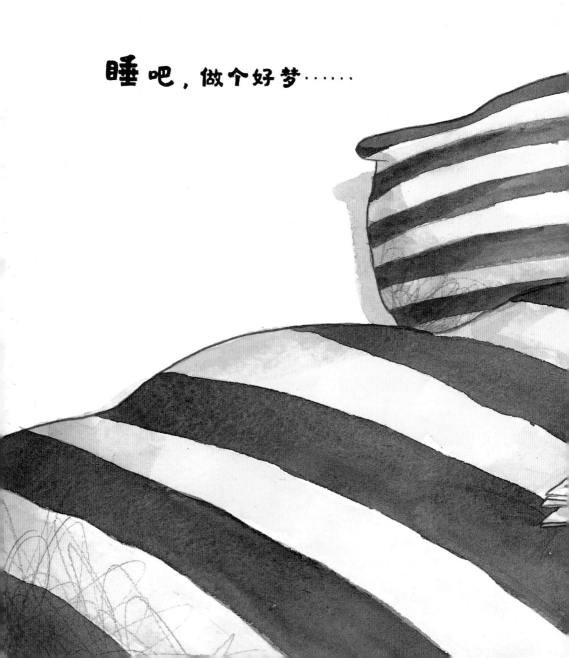

先喝口水就睡……

睡吧！做个好梦！

我还要多多！

现在好好睡吧，做个好梦。

还有……

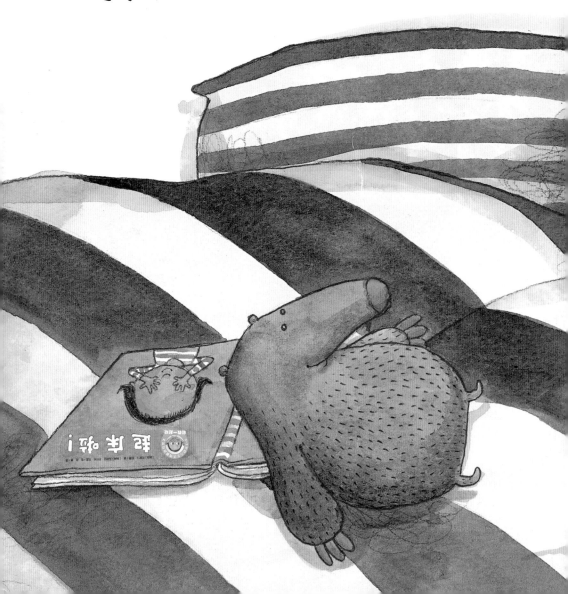

……睡个好觉！

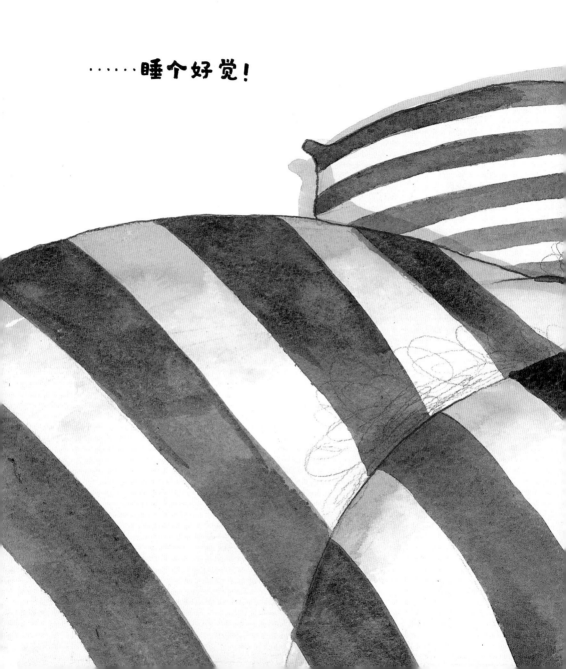

再抱一抱，亲一亲……

晚安，米米……做个好梦……

米米

拉拉

伊伊

西西

嘟嘟

娜娜

图书在版编目(CIP)数据

睡觉吧！/〔瑞典〕托雷(Thore,A.)著；〔瑞典〕托雷(Thore,M.N.)绘；赵清译. — 武汉：长江少年儿童出版社，2014.12

（和我一起玩）

ISBN 978-7-5560-1613-6

Ⅰ.①睡… Ⅱ.①托… ②托… ③赵… Ⅲ.①儿童文学 – 图画故事 – 瑞典 – 现代 Ⅳ.①I532.85

中国版本图书馆CIP数据核字(2014)第246160号

睡觉吧！

〔瑞典〕阿尼卡·托雷 / **著**　〔瑞典〕玛利亚·尼尔松·托雷 / **绘**　赵　清 / **译**

策划编辑 / 黄燕京　**责任编辑** / 傅一新　佟　一　黄燕京

装帧设计 / 陈经华　**美术编辑** / 陈经华

出版发行 / **长江少年儿童出版社**　**经销** / 全国新华书店

印刷 / 深圳市福圣印刷有限公司

开本 / 787×1092　1/24　1.5印张

版次 / 2020年1月第1版第21次印刷

书号 / ISBN 978-7-5560-1613-6

定价 / 14.80元

Sami somnar

Idea and Text Copyright © Annika Thore, 2011

Idea and Illustrations Copyright © Maria Nilsson Thore, 2011

First published by Bonnier Carlsen, Stockholm, Sweden

Published in the Simplified Chinese language by arrangement with Bonnier Rights, Stockholm, Sweden

Simplified Chinese translation copyright © 2017 by Love Reading Information Consultancy (Shenzhen) Co., Ltd.

ALL RIGHTS RESERVED

本书中文简体字版权经Bonnier Rights授予心喜阅信息咨询（深圳）有限公司，由长江少年儿童出版社独家出版发行。

版权所有，侵权必究。

策划 / 心喜阅信息咨询（深圳）有限公司　　**咨询热线** / 0755-82705599　　**销售热线** / 027-87396822

http://www.lovereadingbooks.com